D1625610

Ce livre
appartient à :

....

offert par :

....

MA PREMIÈRE BIBLIOTHÈQUE ROSE

Enid Blyton

Oui-Oui
va à l'école

Illustrations de Jeanne Bazin

hachette
JEUNESSE

Hachette Livre, 43, quai de Grenelle, 75015 Paris.

1

Oui-Oui
est très intelligent

Un matin, Oui-Oui alla ouvrir la porte de son garage.

« Bonjour, petite voiture ! dit-il. Tu me parais plutôt sale. Tu aurais bien besoin d'un bain.

— N'oublie pas de lui laver les oreilles ! » fit derrière lui une voix moqueuse.

Oui-Oui se retourna et vit un jeune Pierrot tout blanc. Il lui cria :

« Comme si une voiture avait des oreilles, gros bêta !

— Pourquoi pas ? Elle a bien des ailes ! » répliqua le Pierrot en ricanant.

Oui-Oui ne trouva rien à répondre à cela. Il savait bien que sa voiture n'avait pas d'oreilles, même si elle avait des ailes.

« Va-t'en ! dit-il au Pierrot. Et ne reviens plus m'ennuyer. J'ai du travail à faire. »

Mais le jeune Pierrot ne s'en alla pas. Il resta planté là, tout près, et regarda Oui-Oui sortir le tuyau d'arrosage et commencer le lavage de sa voiture.

« Quand vas-tu lui brosser les

dents ? demanda bientôt le Pierrot effronté.

— Je vais d'abord te laver la figure ! » s'écria Oui-Oui en colère.

Et il dirigea le jet sur le Pierrot qui reçut l'eau en pleine face et se mit à hurler.

Mme Bouboule sortit sur le pas de sa porte et éclata de rire.

« C'est bien fait pour ce petit garnement, dit-elle. C'est un vaurien. Il vient sans cesse tirer ma sonnette, et se sauve avant que j'aie ouvert. Tu as eu raison de lui rincer la figure ! »

Oui-Oui était satisfait. Il regardait le Pierrot dévaler la rue en courant. L'eau ruisselait sur sa figure toute blanche.

« Ta voiture a l'air magnifique, Oui-Oui, dit Mme Bouboule. C'est sûrement la mieux entretenue du Pays des Jouets. »

Oui-Oui se sentit tout heureux. Il se mit à astiquer sa petite voiture avec une peau de chamois. Comme elle brillait !

Tout en l'astiquant, il inventa une petite chanson.

Elle klaxonne fort
Et brille comme l'or.
Elle est bien plus rapide
Que les plus grands bolides.
Et elle est sans défaut !
C'est ma petite auto.

« Quelle jolie chanson ! dit Mme Bouboule. Dire que tu sors toutes ces inventions de ta petite tête de bois ! Tu es vraiment très

doué pour la poésie. Tu devrais chanter ta nouvelle chanson à M. Bouboule. »

Oui-Oui chanta donc sa nouvelle chanson à M. Bouboule. Le laitier et un chat noir qui passait vinrent l'écouter aussi. « C'est très bien ! » dirent-ils tous.

Et le laitier donna une tape sur la tête de Oui-Oui pour la faire balancer d'avant en arrière à toute vitesse.

« C'est magnifique ! dit le laitier. Peut-être que si nous avions tous des têtes à ressort comme Oui-Oui, nous serions capables, nous aussi, d'inventer des chansons. »

Oui-Oui était heureux et fier. Il monta dans sa voiture et démarra joyeusement.

« Je pars ! Je vais gagner beaucoup de sous aujourd'hui puis-
que je suis si intelligent ! »

Il descendit la rue et il aperçut
Léonie Laquille qui avançait en
sautillant. Elle l'appela.

« Oui-Oui, s'il te plaît, emmène-
moi à la gare ! Je suis pressée. »

Elle monta, et Oui-Oui l'em-

mena à toute vitesse à la gare. Ils arrivèrent juste au moment où le train s'arrêtait.

« Merci, Oui-Oui », dit Léonie Laquille.

Et elle lui donna dix sous pour sa peine.

« Tu es vraiment un excellent conducteur. Tu es allé très vite, et ta voiture est si jolie !...

— Oui, je conduis bien », dit Oui-Oui.

Il s'en alla et klaxonna avec force en apercevant les deux ours de l'Arche de Noé.

« En arrière, les ours ! Laissez passer le petit Oui-Oui ! »

Puis ce fut Clic-Clac, le clown mécanique, qui l'appela.

« Oui-Oui ! Mon ressort est

cassé. Peux-tu m'emmener chez le docteur et lui demander de me raccommoder ? Va doucement, s'il te plaît, parce qu'un morceau du ressort est tombé à l'intérieur de mon corps en fer-blanc, et il fait un vilain bruit quand je vais trop vite.

— Quand je veux, je peux aller aussi lentement qu'un escargot », dit Oui-Oui.

Il alla en effet très lentement. Le ressort du clown ne remua pas une seule fois à l'intérieur de son corps en fer-blanc. Clic-Clac était bien content. Il descendit devant la porte du docteur et donna dix sous à Oui-Oui.

« Merci, dit-il. Tu es un très bon conducteur. Tu conduis aussi bien au ralenti qu'à toute vitesse. Je ne sais pas ce que nous ferions sans toi, Oui-Oui !

— C'est une chance que je sois venu vivre au Pays des Jouets ! » dit Oui-Oui tout fier.

Il s'en retourna, et il lui vint à l'esprit une autre petite chanson. Il la chanta à pleine voix :

Je suis un pantin
Très intelligent !
Nul n'est plus malin
Que Oui-Oui, vraiment !
J'ai beaucoup d'esprit
Et j'ai tout compris
Sans avoir appris...

2

Potiron se met en colère

Quelques minutes plus tard, le bonnet de Oui-Oui se mit à glisser. Il tomba à côté de lui sur la banquette, et le petit grelot tinta.

« En voilà des manières ! dit Oui-Oui à son bonnet. Veux-tu bien rester sur ma tête ! »

Il remit son bonnet et l'enfonça

solidement sur ses oreilles. Mais, une demi-minute plus tard, le bonnet s'envolait de nouveau et, cette fois, il tomba sur la route.

Oui-Oui arrêta sa voiture, descendit et alla ramasser son bonnet. Il était très fâché.

« Voilà que tu recommences ! Tu vas me faire le plaisir de rester tranquille, s'il te plaît ! »

Il remit le bonnet sur sa tête, en l'enfonçant encore plus. Mais qu'avait-il donc, ce bonnet ? Presque aussitôt, il glissa encore, et Oui-Oui commença à se poser des questions. Son bonnet était-il ensorcelé ?

Il l'enfonça si fort qu'il lui descendit jusqu'au nez. Peine perdue. Le bonnet se mit à glisser de

nouveau. Oui-Oui dut conduire d'une seule main et tenir son bonnet de l'autre. Le grelot s'arrêta de sonner, ce qui n'était vraiment pas normal non plus.

« Je crois que je ferais mieux d'aller chez mon ami Potiron et de lui raconter toute l'histoire, pensa Oui-Oui, inquiet. Que se

passe-t-il donc ? Mon bonnet semble devenu trop petit pour moi, et le grelot ne sonne plus. Je ne suis pourtant pas sorti sous la pluie, il ne peut pas avoir rétréci. Oh ! Le voilà encore qui s'en va ! Vilain bonnet, qu'est-ce que tu as donc aujourd'hui ? »

Il roula jusqu'au gros champignon qui servait de maison au nain Potiron. Potiron était un ami de bon conseil. Il pourrait sûrement lui dire ce qu'avait son bonnet.

En arrivant devant la porte de la maison-champignon, Oui-Oui se rappela sa dernière chanson. Il allait la chanter bien fort, et Potiron sortirait vite pour le complimenter !

Il se mit donc à chanter sa chanson à tue-tête :

Je suis un pantin
Très intelligent !
Nul n'est plus malin
Que Oui-Oui, vraiment !

Potiron sortit brusquement de sa petite maison. Il n'avait pas l'air content du tout. Il fronçait les sourcils, ce qui étonna Oui-Oui, car Potiron ne les fronçait presque jamais.

« Qu'est-ce que c'est que cette chanson stupide ? demanda Potiron. Tais-toi ! Je ne veux pas entendre de telles bêtises ! »

Oui-Oui était si étonné qu'il en

oublia de retenir son bonnet, et le bonnet glissa de nouveau et tomba à terre.

« M... M... Mais.. Potiron, je suis intelligent ! affirma le petit Oui-Oui en regardant fixement Potiron. Tout le monde le dit. Mme Bouboule le dit, et...

— Si tu te mets à parler comme ça, je ne veux plus te connaître, dit Potiron. Tu es bien trop prétentieux ! Tu n'es pas aussi intelligent que tu le crois ! »

Et – chose inimaginable – Potiron rentra dans sa maison et claqua la porte au nez de Oui-Oui.

« Potiron ! Potiron ! appela-t-il d'une voix larmoyante, écoute-moi ! Je venais te demander conseil au sujet de mon bonnet.

Il s'est passé quelque chose de très bizarre ! »

La porte se rouvrit, et Potiron apparut.

« Qu'est-ce qui arrive à ton bonnet ? » demanda-t-il.

Il avait toujours l'air fâché.

« Regarde », dit Oui-Oui.

Il mit le bonnet sur sa tête.

« Il ne me va plus du tout. Il est trop petit. Et le grelot ne sonne plus.

— Ah ! Ah ! Ah ! fit Potiron. Tu ne l'as pas volé ! Tu as la tête enflée, voilà ce qui t'arrive, et tu l'as bien mérité !

— La tête enflée ? dit Oui-Oui, inquiet. Est-ce que c'est grave ?

— Oui, dit Potiron. Cela arrive aux petits vaniteux qui se croient intelligents et qui vont chanter à tous les échos que leur cerveau est très brillant, à ceux qui sont orgueilleux et prétentieux. Leur tête se met à enfler – exactement comme la tienne. Tu sais, tu as un drôle d'air, Oui-Oui ! »

Il emmena Oui-Oui dans sa maison et le conduisit devant une glace. Oui-Oui se regarda, consterné.

Sans aucun doute, sa tête était devenue énorme. Il n'était pas du tout comme d'habitude.

« Et bien sûr, maintenant que ta tête est enflée d'orgueil, ton bonnet ne te va plus, dit Potiron. Il est trop petit. Et ton grelot ne sonne plus parce qu'il est fâché contre toi depuis que tu as la tête enflée.

— Qu'est-ce que je peux faire ? demanda Oui-Oui.

— Cesse de te croire plus intelligent que les autres, répondit Potiron. Tu ne l'es pas tant que ça ! Par exemple, tu ne peux pas compter plus loin que vingt, tu ne sais pas lire les mots difficiles, et tu fais de temps en temps des choses tout à fait stupides.

— Mais non ! protesta Oui-Oui
en se mettant à pleurer.

— Mais si ! répliqua Potiron. Il
est dommage que tu n'aies jamais
été à l'école. Sinon, tu aurais vu
comme tu sais peu de choses. Tu
devrais aller à l'école !

— Et si j'y vais, demanda le
pauvre Oui-Oui, tu seras de nou-

veau mon ami ? Je ne serai plus jamais vaniteux ! Et je ne chanterai plus jamais cette chanson !

— Ce serait une très, très bonne idée d'aller à l'école, dit Potiron. C'est vrai, pourquoi n'y avons-nous pas pensé plus tôt ?

— Tu crois que j'aimerai cela ? demanda encore Oui-Oui. Et est-ce que ma tête s'arrêtera d'enfler si j'y vais ?

— Sûrement. Il n'y a rien de tel que d'aller à l'école pour guérir les têtes enflées. Et quand tu seras guéri, tu pourras remettre ton bonnet.

— Eh bien, j'y vais ! dit Oui-Oui. J'irai demain. C'est décidé ! »

3

Oui-Oui
va à l'école

Le lendemain, Oui-Oui partit donc pour l'école. Il était monté dans sa petite voiture, mais il n'avait pas pu mettre son bonnet parce que sa tête était toujours trop grosse.

La maîtresse d'école était une poupée toute ronde, avec des cheveux frisés et un châle. Elle portait de grosses lunettes. Oui-Oui n'était pas très rassuré.

« Tu es bien Oui-Oui, n'est-ce pas ? demanda la maîtresse avec un sourire. Je m'appelle Mlle Plouf. Il était grand temps que tu viennes ici, mon petit Oui-Oui. Tu as beaucoup de choses à apprendre !

— Tant que cela ? » fit Oui-Oui, effrayé.

Puis il regarda autour de lui et demanda :

« Où faut-il m'asseoir ?

— Ici, dit Mlle Plouf. Entre ce jeune Pierrot et cette petite Alsacienne. Tiens-toi droit et ne bavarde pas. »

Oui-Oui s'assit. Le Pierrot, son voisin, était justement celui qui avait voulu se moquer de lui la veille en lui conseillant de laver les oreilles de sa voiture. Il fit une grimace à Oui-Oui.

« Tu m'as trempé avec ton jet, hier ! murmura-t-il. Tu me le paieras ! »

Oui-Oui ne répondit pas. Il ne voulait pas bavarder et s'attirer

des ennuis dès la première minute.

« Nous allons maintenant commencer la leçon de calcul, dit Mlle Plouf. Qui peut réciter la table des deux ? »

Un jeune ours en peluche se leva aussitôt en agitant la patte.

« Moi ! Moi !... Deux fois un, deux. Deux fois deux, quatre... »

Il n'alla pas plus loin. Il avait oublié la suite. Mlle Plouf se tourna vers Oui-Oui.

« Et toi, connais-tu quelques tables ? » demanda-t-elle.

Oui-Oui ne savait pas qu'elle voulait parler des tables de multiplication. Il crut qu'il s'agissait de vraies tables.

« Oui, mademoiselle, j'en connais une très bien, dit-il. C'est celle de ma salle à manger. Je peux vous la décrire. Elle est au milieu de la pièce, elle a quatre pieds, il y a une nappe dessus, et... »

Tout le monde éclata de rire. Même Mlle Plouf.

« Non, dit-elle, ce n'est pas de ce genre de table que je veux parler, Oui-Oui. Vous autres, cessez

de rire ! Nous reprendrons la leçon de calcul demain. Petit Singe, lève-toi et chante-nous une chanson. »

Oui-Oui s'était senti honteux quand ses nouveaux camarades avaient ri de son ignorance. Peut-être n'était-il pas aussi intelligent qu'il le croyait !

Le petit singe chanta très gen-
timent une chanson. Toute la
classe applaudit. Alors Oui-Oui
leva la main.

« S'il vous plaît, mademoiselle !
Moi aussi je sais chanter !

— Eh bien, chante-nous *Au
clair de la lune,* dit Mlle Plouf.

— Je ne connais pas cette
chanson-là, répondit Oui-Oui.
Mais je peux vous en chanter une
qui parle de moi. C'est moi qui
l'ai faite !

— Cette chanson-là, il faut la
garder pour toi, dit la maîtresse.
Elle ne nous intéresse pas. Nous
n'aimons pas les vaniteux. »

Oui-Oui fut très vexé. Lui qui
pensait avoir beaucoup de succès !

« Mademoiselle, si on faisait de

l'écriture ? aboya un petit chien jaune. J'ai appris à écrire "pâtée".

— Alors, viens au tableau. »

Le chien jaune quitta fièrement sa place et alla écrire "pâtée" en s'appliquant.

« Très bien ! dit Mlle Plouf. À ton tour, Oui-Oui. Viens ici et écris le nom d'une grosse bête. »

Mais le pauvre Oui-Oui ne savait pas écrire autre chose que son nom. Il prit la craie et écrivit en grosses lettres : OUI-OUI.

Pour la deuxième fois, toute la classe éclata de rire. Le Pierrot rit encore plus fort que les autres.

« Ha ! Ha ! fit-il. Le petit Oui-Oui est une grosse bête ! C'est lui-même qui le dit ! Ha ! Ha ! Ha !... Il fallait écrire "éléphant" ou "hip-

popotame", mais il ne sait pas ! »

Tout le monde rit de plus belle. Oui-Oui était tellement vexé, que sa petite tête à ressort s'agitait d'avant en arrière, si bien qu'il avait l'air de dire : « Oui, je suis une grosse bête ! »

« Tais-toi, Pierrot ! dit Mlle Plouf.

Et cesse de mettre ton pied sur la queue du singe, s'il te plaît.

— Je ne mets pas mon pied sur sa queue, mademoiselle. C'est lui qui met sa queue sous mon pied ! répondit le Pierrot.

— Oh ! le menteur ! cria le singe. Il le fait exprès ! Partout où je mets ma queue, il met son pied. Je ne sais plus comment faire.

— Assieds-toi dessus ! conseilla Mlle Plouf. Et toi, Pierrot, apporte-moi la pantoufle.

— Oh ! non ! » gémit le petit Pierrot.

Oui-Oui se demandait ce que c'était que cette pantoufle. Puis il l'aperçut. C'était une grosse pantoufle de feutre, accrochée au

mur. Pourquoi le petit Pierrot devait-il aller la chercher ?

« C'est bon, je te tiens quitte pour cette fois, dit Mlle Plouf. Ne va pas chercher la pantoufle. Mais la prochaine fois que je te ferai une observation, tu iras !

— Je vais aller vous la chercher, mademoiselle ! » cria Oui-Oui.

Il pensait que ce serait gentil de faire quelque chose pour la maîtresse.

« Oui-Oui, dit Mlle Plouf, on ne va chercher la pantoufle que lorsqu'on doit recevoir une fessée. Tu n'as sûrement pas envie d'une fessée ? »

Tout le monde rit une fois de plus. Que ce petit Oui-Oui était donc sot !

Ensuite, tous les élèves durent se lever pour danser une ronde. Le pauvre Oui-Oui ne savait pas du tout danser. Il regarda les autres lancer leurs jambes en l'air, d'un côté, puis de l'autre...

Tout à coup, il lança vivement la sienne, pour montrer qu'il avait compris.

« Aïe !... Oui-Oui m'a donné un coup de pied ! hurla la souris mécanique. Mademoiselle, mademoiselle, il m'a donné un coup de pied ! Regardez, il m'a arraché ma clef !

— Je ne l'ai pas fait exprès ! protesta Oui-Oui. C'est elle qui s'est mise devant moi juste au moment où je levais mon pied !

— Oui-Oui, je crois que tu feras mieux d'aller au coin jusqu'à ce que nous ayons fini de danser », dit Mlle Plouf. N'était-ce pas terrible ? Le pauvre Oui-Oui alla donc au coin, pleurant de grosses larmes qui coulèrent sur le parquet. Il ne se croyait plus intelligent. Il était certain, maintenant, que son cerveau n'était pas brillant du tout.

« Récréation ! » annonça Mlle Plouf lorsque la ronde fut terminée.

Oui-Oui put enfin quitter son coin. Comme il était content ! Cette fois-ci, en tout cas, il ne ferait pas de sottises puisqu'il s'agissait de jouer !

4

Au travail,
Oui-Oui !

Oui-Oui alla voir Potiron après l'école. Il était plutôt triste en roulant en voiture jusqu'à la maison-champignon. Potiron l'attendait.

« Alors, Oui-Oui, que s'est-il passé ? demanda-t-il en l'apercevant. Ta tête est bien désenflée !

— C'est vrai ? dit Oui-Oui en la tâtant. Je vais peut-être pouvoir remettre mon bonnet ? »

Mais il ne put pas le remettre. Sa tête était encore trop enflée, hélas !

« Cela va tout de même déjà mieux, dit Potiron. L'école te fait du bien. Comment cela a-t-il marché ?

— Pas très bien, répondit Oui-Oui sans grand enthousiasme. Je ne savais vraiment rien – je n'en savais même pas autant que le bébé ours et le petit singe. Je regrette de m'être cru trop intelligent, Potiron.

— Si tu continues à penser comme cela, ta tête va bientôt reprendre sa taille normale, dit Potiron tout content. Donne-moi

ton bonnet, Oui-Oui. Il va se salir si tu le traînes partout. Je vais le mettre au portemanteau – ici, tu vois ! – et tu pourras le reprendre quand ta tête sera redevenue normale.

— Potiron, apprends-moi à danser, à chanter *Au clair de la lune,* et à écrire quelque chose !

supplia Oui-Oui. Je ne veux plus qu'on se moque de moi.

— Eh bien, nous allons faire des exercices, dit Potiron. Je vais t'écrire quelques mots que tu copieras de ta plus belle écriture, je t'apprendrai aussi une jolie danse, et comment on fait une addition.

— Qu'est-ce que c'est qu'une addition ? demanda Oui-Oui, inquiet.

— Tu vas voir, c'est très simple. Supposons que je te donne trois pommes et que j'en donne une au petit Pierrot. Combien avez-vous de pommes à vous deux ? C'est facile !

— Elles ne sont pas à nous deux, répondit Oui-Oui. Il y en a trois qui sont à moi et une à lui, et je suis sur que le Pierrot ne voudra pas me donner la sienne.

— Tu n'as pas compris, dit Potiron. Nous allons prendre un autre exemple. Supposons qu'il y ait trois chats dans mon jardin. Un chien arrive. Combien d'animaux y a-t-il en tout dans mon jardin ?

— Un seul, répondit Oui-Oui. Le chien, parce que tous les chats se seront sauvés !

— Décidément, Oui-Oui, tu as des idées bizarres dans ta petite tête en bois. Il doit te manquer un peu de cerveau.

— Sans doute ! dit Oui-Oui en hochant tristement la tête. Eh bien, comme j'ai encore dix sous dans ma tirelire, je vais tout de suite aller en acheter un petit peu.

— Mon pauvre Oui-Oui, on ne peut pas acheter comme ça pour dix sous de cerveau ! Le cerveau, ça ne s'achète pas. Ça se cultive, expliqua Potiron.

— Alors, s'écria Oui-Oui, je vais aller acheter de la graine !

— Tu ne comprends toujours pas, dit Potiron. Le cerveau ne pousse pas dans les jardins. C'est le tien qu'il faut cultiver dans ta tête. Et tu y arriveras en travaillant bien à l'école et à la maison. Tiens, voilà une page d'écriture que tu copieras chez

toi ce soir. Avant de partir, regarde encore ce petit pas de danse : tu t'exerceras aussi chez toi à faire la même chose. »

Potiron exécuta une jolie danse. Oui-Oui le regarda avec admiration.

« Bon, je ferai tout cela, dit-il. Mais il vaudrait mieux que je rentre maintenant, parce qu'il est déjà tard. »

Il revint en voiture vers sa petite maison et entra. Il pensa brusquement qu'il n'avait pas de cahier pour faire ses devoirs. Tant pis, il écrirait sur le parquet. Il n'aurait qu'à le nettoyer ensuite. Il écrivit donc tout au long du parquet. Puis, comme il était fatigué d'être resté si longtemps à

genoux, il décida de danser un peu pour se détendre les jambes. Il se mit donc à danser, et, tandis qu'il dansait, quelqu'un jeta un coup d'œil par la fenêtre. C'était son voisin, le fils de M. et Mme Bouboule, les ours en peluche.

« Qu'est-ce que tu fais, Oui-Oui ? Tu danses tout seul ?

demanda-t-il. Est-ce que je peux venir danser avec toi ?

— Bien sûr ! répondit Oui-Oui. Ce sera plus amusant. »

Le petit Bouboule entra. Il fallait voir comme ils dansaient bien ensemble ! À la fin, ils furent très fatigués. Ils s'assirent par terre pour reprendre leur souffle.

« Dis-moi, Bouboule, toi qui vas à l'école depuis plus longtemps que moi, pourrais-tu m'apprendre quelque chose ? » demanda Oui-Oui.

Le petit Bouboule le regarda d'un air surpris.

« Je pourrais peut-être t'apprendre à grogner, dit-il. Je grogne très bien, tu sais. Écoute ! »

Il se pressa sur le ventre, et un

grognement en sortit aussitôt.

« C'est beau ! dit Oui-Oui. J'aimerais apprendre à grogner. Tu dis que c'est ici qu'il faut mettre sa main ?

— Oui. Tu appuies fort, et ça grogne tout seul. »

Hélas ! Oui-Oui avait beau appuyer très fort, aucun grogne-ment ne venait !

« Comme c'est dommage ! soupira le petit Bouboule. Nous essaierons une autre fois, et tu réussiras peut-être mieux... Demain, si tu veux, nous irons à l'école ensemble, et tu t'assiéras à côté de moi au lieu de te mettre à côté de ce méchant Pierrot. Il a presque mérité la pantoufle hier, n'est-ce pas ? Mlle Plouf donne des fessées terribles avec cette pantoufle, tu sais. »

Oui-Oui se promit bien de ne jamais mériter la pantoufle. Il regarda ce qu'il avait écrit sur le parquet.

Il vaut mieux que tu t'en ailles maintenant, dit-il au petit Bouboule. Je n'ai pas terminé mon devoir d'écriture. Il n'y a plus de place sur le parquet, mais il me reste encore les murs. Au revoir, Bouboule ! À demain ! »

Le petit Bouboule s'en alla, et Oui-Oui se mit à couvrir les murs d'une grosse écriture appliquée. Au travail, Oui-Oui ! Tu seras un jour le premier de la classe !

5

Oui-Oui n'est pas très intelligent

Oui-Oui se mit bientôt à aimer l'école. Il travaillait beaucoup, et Mlle Plouf était contente de lui. Le petit Bouboule s'asseyait toujours à côté de lui et l'aidait pour un tas de choses.

Tous les matins, les élèves faisaient le tour de la classe l'un derrière l'autre, et le premier de la file battait du tambour : Ran-tan-plan !... Ran-tan-plan !... Comme Oui-Oui aurait aimé être le premier de la file et avoir le tambour !

Et voici qu'un matin, Mlle Plouf le fit mettre au premier rang et lui confia le tambour !

« Tu as si bien travaillé cette semaine que tu vas conduire la file et battre le tambour », dit-elle.

Oui-Oui n'avait jamais été aussi heureux. Il marcha fièrement autour de la classe, frappant à tour de bras sur le tambour : Ran-tan-plan !...

Un autre jour, il fit un si beau portrait du petit Bouboule que

Mlle Plouf l'épingla au mur pour que tout le monde puisse l'admirer.

Il alla raconter à Potiron l'histoire du tambour.

« Aujourd'hui, j'ai joué du tambour ! dit-il fièrement. Comme ça, Potiron : Ran-tan-plan !... Et j'ai fait Ran-tan-plan ! plus fort que personne ne l'avait jamais fait !

— Attention ! dit Potiron. Voilà
que tu recommences à te vanter !
Ta tête a rétréci depuis quelques
jours. Ce n'est pas le moment de
la faire enfler de nouveau !

— Oh non ! dit Oui-Oui en se
tâtant la tête. J'ai l'impression
qu'elle est presque normale,
Potiron. Est-ce que je peux

essayer mon bonnet pour voir s'il me va ?

— Non. Tu n'es pas encore tout à fait guéri. »

Oui-Oui parla alors du portrait de Bouboule qu'il avait fait deux jours auparavant, mais il ne se vanta pas.

« Tu deviens beaucoup plus raisonnable, dit Potiron. Je suis vraiment content de toi, Oui-Oui. Es-tu toujours le dernier de la classe ?

— Non, je fais des progrès. Je suis maintenant avant la souris mécanique, avant le petit Pierrot, et avant le chien jaune. Mais je crois que je n'aurai pas de prix cette année, Potiron. N'y compte pas trop.

« — Non, je n'y compte pas trop, dit Potiron. Mlle Plouf donne toujours un concert pour la distribution des prix. Tu y participeras, mais j'ai bien peur que tu n'aies pas de prix.

— Je ne suis pas intelligent ! dit Oui-Oui tristement. J'avais pourtant bien cru que je l'étais. Mais je suis bon conducteur, n'est-ce pas, Potiron ?

— Même cela, tu ne dois pas t'en vanter. Ce n'est pas à toi de le dire. »

Et justement, en rentrant chez lui, le pauvre Oui-Oui jeta sa voiture contre un arbre et le renversa ! L'arbre appartenait à M. Culbuto qui se mit en colère. Il accourut en culbutant.

« Je suis désolé, tout à fait désolé, monsieur Culbuto ! s'écria Oui-Oui, effrayé. Votre arbre s'est mis sur mon chemin !

— Ce sont les mauvais conducteurs qui laissent les arbres se mettre sur leur chemin ! dit M. Culbuto. Pourquoi n'as-tu pas klaxonné, petit sot ?

— Les arbres se moquent bien des coups de klaxon ! répliqua Oui-Oui en remettant l'arbre debout. Voilà, votre arbre est bien d'aplomb. Ne faites donc pas tant d'histoires !

— Si tu me parles sur ce ton, mon petit bonhomme, je vais culbuter ta voiture ! » dit M. Culbuto.

Oui-Oui démarra et s'enfuit,

apeuré. Peut-être, après tout, était-il mauvais conducteur ?

« Je voudrais bien pouvoir remettre mon petit bonnet bleu, pensait-il. Je ne suis pas à mon aise sans lui. C'est terrible d'avoir été vaniteux au point que ma tête ait enflé, et de ne plus pouvoir mettre mon bonnet ! »

Et voilà que Oui-Oui attrapa un rhume. Atchoum ! Atchoum ! ATCHOUM !...

« C'est parce que tu es sorti sans ton bonnet ! dit Mme Bouboule qui l'observait de sa fenêtre. Qu'as-tu fait de ton joli bonnet bleu ? Mets-le donc !

— Je voudrais bien, mais ma tête a enflé, et il ne me va plus, dit Oui-Oui. Potiron me le garde jusqu'à ce que ma tête soit guérie.

— Tu as la tête enflée ? Pauvre petit Oui-Oui ! dit Mme Bouboule. Tu ne peux tout de même pas rester sans bonnet. Je vais te prêter un des miens. »

Elle lui fit mettre un bonnet à elle, garni de rubans, de fleurs et de dentelles. Naturellement, le

Petit Pierrot et les autres se moquèrent de lui. Il ne voulut pas remettre le bonnet le lendemain.

Ce jour-là, le petit Bouboule lui fit une farce. Il apporta en classe quelque chose qui ressemblait à un chapeau.

« Tiens, Oui-Oui, dit-il. Voilà un chapeau pour toi.

— Atchoum !... Merci », dit Oui-Oui.

Et il le mit sur sa tête. Mais ce n'était pas un chapeau, c'était un abat-jour que Bouboule avait pris à la lampe de sa chambre, et Oui-Oui ne s'en était pas aperçu.

Tout le monde rit encore plus fort que la veille, et le Pierrot dit

qu'il lui prêterait un pot de fleurs au cas où l'abat-jour ne serait pas assez chaud. Oui-Oui était très fâché contre le petit Bouboule et contre le méchant Pierrot.

Il ôta l'abat-jour et l'enfonça si fort sur la tête du Pierrot que celui-ci eut beau faire, il ne réussit pas à l'enlever. Il s'en alla en pleurant, cherchant son chemin à tâtons, car l'abat-jour lui cachait les yeux.

Mme Bouboule le vit passer dans la rue. Elle fut bien étonnée de lui voir un de ses abat-jour sur la tête. Elle courut après lui et le lui enleva. Puis elle lui donna une fessée. C'était plutôt, le petit Bouboule qui la méritait ! Le jeune Pierrot poussa des cris.

« C'est bien fait ! dit Oui-Oui, ravi de voir cela. Tu m'as assez fait enrager ! Ça t'apprendra ! »

Le Pierrot voulut se précipiter sur lui, mais Oui-Oui se sauva à toutes jambes.

Atchoum !... Ah ! Si seulement il avait son cher petit bonnet bleu avec un grelot qui sonne !

6

Le jour du concert

Le jour du concert de l'école approchait. Comme cela allait être amusant ! Chacun devait faire quelque chose.

« Je danserai la bourrée ! dit le jeune Polichinelle.

— Nous chanterons en chœur ! dirent les neuf filles de Léonie Laquille. Et puis la boule roulera sur l'estrade et nous fera toutes tomber.

— Moi, je cancanerai ! dit fièrement Gustave, le petit canard.

— Moi, je ferai le clown, dit le jeune Pierrot. J'aurai un balai à la main, et si tes coin-coin m'écorchent les oreilles, Gustave, je te chasserai de la scène à coups de balai !

— Pierrot, tu ne feras pas une chose pareille ! s'écria Oui-Oui. Compte sur moi pour t'en empêcher ! S'il le faut, je cacherai ton balai !

— Moi, dit Bouboule, je ferai un petit solo de grognements. Je me suis exercé à la maison.

— Ah ! C'est donc cela ! dit Oui-Oui. Je t'ai entendu grogner tous les soirs. Je croyais que tu avais mal aux dents !

— Moi, je ferai l'acrobate, dit le singe.

— Et nous, nous danserons la danse des fées, dirent les plus belles poupées blondes.

— Je vous applaudirai de toutes mes forces ! s'exclama Oui-Oui qui trouvait que les poupées blondes étaient les plus jolies qu'il eût jamais vues.

— Et toi, qu'est-ce que tu vas faire, Oui-Oui ? demanda le singe.

— Rien, répondit le pauvre Oui-Oui. Mlle Plouf trouve que je ne sais pas assez bien chanter. Et je n'arrive pas à danser comme il faut, parce que mon pied gauche s'emmêle avec mon pied droit. Je

ne peux pas non plus réciter de poème, parce qu'une fois que j'ai commencé, je ne me rappelle jamais la suite. Je ne sais ni faire coin-coin ni grogner, et pourtant j'ai bien essayé. Tout ce que je sais faire, c'est agiter ma tête !

— Tu n'es pas très intelligent, dit le jeune Pierrot. Pas intelligent du tout. Ne rien trouver à faire pour le concert !

— Tu n'auras pas un seul prix, dit le Polichinelle.

— Je n'y peux rien ! soupira Oui-Oui en se prenant la tête dans les mains. Je pourrais chanter une des chansons que j'ai composées, mais on penserait que je suis prétentieux. Et j'essaie de ne pas l'être pour pouvoir remettre mon bonnet bleu avec son grelot qui sonne. »

Le jour du concert arriva enfin, et tout le monde se déplaça pour entendre et voir les élèves de Mlle Plouf. Les parents de Gustave vinrent pour entendre le petit Gustave, le père et la mère de Pierrot pour entendre le jeune Pierrot, et Léonie Laquille pour entendre chanter ses neuf filles. Il y avait foule dans la salle de classe.

À l'une des extrémités, Mlle Plouf avait fait installer une grande estrade. Ses élèves étaient impatients de commencer la représentation. Le moment arriva enfin. Les élèves montèrent tous ensemble sur l'estrade et chantèrent le chant d'ouverture ; Oui-Oui

chanta avec eux. Potiron, qui était dans l'assistance, lui fit un signe d'amitié. C'était gentil à Potiron d'être venu, d'autant plus que Oui-Oui ne ferait rien pour la représentation et qu'il n'attendait même pas un prix.

Tout le monde apprécia beaucoup le concert. C'était magnifique ! Gustave le canard cancana sa petite chanson et fut très applaudi.

Le jeune Pierrot eut beaucoup de succès dans son numéro de clown maladroit. Il donnait de tels coups de balai dans tous les sens qu'il faillit même renverser le piano à bas de l'estrade !

Le solo de grognements du petit Bouboule fut si apprécié qu'il dut l'exécuter deux fois de suite. Oui-Oui l'applaudit jusqu'à s'en écorcher les mains !

À la fin, la petite souris mécanique devait offrir une gerbe de fleurs à Mlle Plouf en lui récitant un compliment. Mais, à la dernière minute, elle déclara qu'elle ne le ferait pas.

« Je ne peux pas ! Non, je ne

peux pas ! Je suis trop timide ! Je vais oublier tout ce que j'ai à dire ! Je vais avaler mes moustaches ! Je vais me prendre les pattes dans ma queue ! protestait-elle.

— Alors, que quelqu'un d'autre le fasse ! dit le jeune Pierrot. Pas moi. Ce n'est pas le genre de choses dont je puisse me charger.

D'ailleurs, je ne sais pas le compliment que la souris mécanique devait réciter. »

Personne ne l'avait appris, sauf la souris mécanique. Que faire ?

« Eh bien, dit enfin Oui-Oui, j'aime tant Mlle Plouf que je ne peux pas supporter qu'elle n'ait ni fleurs ni compliment. Je vais faire ce que je pourrai, et si je m'embrouille, tant pis ! »

7

Tout s'arrange

Oui-Oui monta donc bravement sur l'estrade, tout seul, avec une énorme gerbe de fleurs. Qu'allait-il dire ? Pourvu qu'il trouve quelque chose !

Et tout à coup, il lui vint à l'esprit une petite chanson sur Mlle

Plouf. C'était vraiment une chance !
Oui-Oui la chanta de tout son cœur.

Répétons sans cesse :
Vive la maîtresse !
Nous l'aimons beaucoup,
Car elle apprend tout,
À chanter, à lire,
À compter, écrire.
À l'école on est heureux
À l'école on est joyeux !
Répétons sans cesse :
Vive la maîtresse !
Notre concert est fini,
Et c'est tout pour aujourd'hui.

Puis Oui-Oui s'approcha de Mlle Plouf. Il lui fit un profond salut et lui offrit les fleurs. Elle était vraiment ravie. Oui-Oui revint alors derrière l'estrade avec les autres.

« Comment as-tu fait pour trouver cette chanson ? demanda le Pierrot. Elle était magnifique !

— Dire que tu l'as chantée tout entière sans une faute ! s'écria le petit Bouboule. C'est la première fois que j'entendais cette chanson !

— Moi aussi ! dit Oui-Oui, aussi étonné que les autres. Elle est sortie toute seule de ma tête.

— Par où ? demanda la souris mécanique en inspectant de tous les côtés la tête en bois de Oui-Oui.

— Par la bouche, bien sûr ! dit une des quilles. Maintenant, chut ! Il faut retourner à nos places. La distribution va commencer. J'ai hâte d'avoir mon prix ! »

Ils regagnèrent tous tranquillement leurs places. Seule, Mlle Plouf resta sur l'estrade. Devant elle, il y avait des piles de livres magnifiques : c'étaient les prix.

« Gustave le canard ! appela Mlle Plouf en lui tendant un livre d'images. Un prix pour avoir appris à marcher les pieds en dedans ! »

Gustave, tout heureux, se dandina jusqu'à l'estrade et prit le livre.

« Un prix à la souris mécanique pour avoir été la première à la course ! » continua Mlle Plouf.

La souris s'approcha fièrement.

« Un prix au Pierrot pour avoir enfin appris à lire ! »

Le jeune Pierrot vint à son tour.

L'assistance applaudit très fort.

Un par un, les élèves défilèrent sur l'estrade. Oui-Oui était tout triste de n'avoir gagné aucun prix. Si seulement il avait été bon en quelque chose ! Il s'était assis à côté de Potiron, espérant qu'on ne le remarquerait pas.

Mais que se passait-il ? Mlle Plouf appelait son nom ! Il n'y avait aucun doute, c'était bien son nom !

« Oui-Oui, un prix pour s'être montré bon camarade. Oui-Oui, viens ici, s'il te plaît. »

Oui-Oui était si surpris qu'il ne put que s'asseoir et ouvrir de grands yeux. Sa tête s'agitait à toute vitesse. Un prix, à lui ? Non, ce n'était pas possible !

« Lève-toi donc, Oui-Oui ! dit Potiron en le poussant. Bravo ! Nous avons envie de t'applaudir ! »

Oui-Oui se leva, la figure illuminée de joie, manquant presque tomber tellement il se dépêchait.

« Voici, dit Mlle Plouf en lui souriant. Oui-Oui a obtenu le prix de bonne camaraderie. »

La salle éclata en applaudisse-ments. Vraiment, c'était mer-veilleux, et Potiron était si fier de Oui-Oui qu'il se leva et se mit à danser.

« Tu vas venir goûter avec moi, Oui-Oui, dit-il. Je suis bien con-tent que tu aies eu un prix ! J'ai acheté un gros gâteau au chocolat, et nous allons l'entamer. »

Ils rentrèrent donc ensemble. Potiron entourait fièrement de son bras les épaules de Oui-Oui. Dire que son ami avait gagné un si joli prix !

Quand Oui-Oui entra dans la maison de Potiron, la première chose qu'il vit fut son bonnet bleu pendu au portemanteau.

« Oh ! Si seulement je pouvais

le remettre ! dit-il. Je ne suis pas à mon aise sans lui. »

Potiron le regarda attentivement.

« Ta tête me semble redevenue normale, dit-il. Tu n'es plus ni vaniteux ni orgueilleux n'est-ce pas ?

— Oh non ! répondit Oui-Oui. Je sais que je ne suis pas très malin. Je n'ai rien su préparer pour la représentation. Je n'ai rien fait, sauf de donner des fleurs à Mlle Plouf. Je ne veux plus être vaniteux, Potiron.

— Alors ta tête n'est plus enflée, dit Potiron. Tu peux essayer ton bonnet. »

Il le décrocha du portemanteau. Oui-Oui se l'enfonça sur la tête : il allait parfaitement bien !

Et le grelot sonnait très fort :
ding, ding, ding !

« Je suis guéri ! Je suis guéri ! »
s'écria Oui-Oui.

Il attrapa les deux mains de
Potiron et l'entraîna dans une
ronde en chantant à pleine voix :

Maintenant je suis heureux,
J'ai remis mon bonnet bleu !

Je ne suis plus vaniteux,
Tout redevient merveilleux...

« Je suis très content, dit Potiron. Tu es un gentil petit bonhomme de bois ! »

Oui-Oui mangea alors du gâteau au chocolat. Il était très content lui aussi. Nous le reverrons bientôt, c'est certain !

Table

Imprimé en France par Jean-Lamour - Groupe Qualibris
Dépôt légal : août 2010
20.24.0670.8/09 - ISBN : 978-2-01-200670-6
Loi n° 49-956 du 16 juillet 1949
sur les publications destinées à la jeunesse